LA NIÑA DEL VIENTO

Sopla el viento por la ventana ¿Sopla suave?
¿Sopla fuerte? ¿Qué viento es ese que se siente?
Y es que hay varios tipos de viento.
Si el que sopla es tranquilo y silencioso, seguro
es el viento fresco. Ahora, si desordena el
cuarto, si te despeina, si tira al suelo las cosas,
es el viento fuerte.

El viento fresco sopla sobre las flores y ayuda a
esparcir el polen; sopla sobre las ramas, las mueve
y hace caer algunos frutos que serán semillas. El
viento fresco es el que prefieren los pájaros para
jugar, para hacer sus piruetas de pilotos traviesos.

El viento fuerte, en cambio, hace tronar las láminas
de los techos, golpea las puertas, sopla y nos llena
los ojos de tierra.

Cuentan que hace mucho tiempo vivió entre nuestros ancestros una pequeña niña a quien le gustaba jugar con el viento; soltaba su cabello y se subía en las copas de los árboles para moverse junto con las hojas; gritaba palabras solo para escuchar como se escapaban; también le gustaba dejar caer puñados de tierra que parecían pequeñas pinceladas en el borde del cielo.

A la niña le gustaba correr con el viento fresco, lo hacía extendiendo los brazos como si ella misma fuera un barrilete. Corría y sacaba la lengua, decía que el viento también llevaba sabores.

En sus juegos, a veces, el viento fuerte le daba unos empujoncitos suaves, le encantaba despeinarla, taparle los ojos y a veces hasta la hacía caer.

Un día, mientras estaba subida en un árbol
jugando con sus trenzas al aire, el viento fuerte
sopló levantando polvo y hojas. Una partícula de
polvo cayó en los ojos de la niña y de inmediato
empezó a frotárselos. Sentía que le picaba, y se
frotaba, y cada vez le picaba más, y ya no podía
abrir los ojos.

Se empezó a desesperar la pequeñita, y con los ojos llenos de lágrimas y sin poder abrirlos empezó a pelear con el viento, a reclamarle que por su culpa no podía abrir los ojos y como no podía abrirlos, tampoco podría bajar del árbol. Y mientras más lloraba, más y más le picaba.

El viento fuerte, el que levanta las cosas, quiebra ramas y que llevó el polvo a los ojos de la niña, respondió con mucha tranquilidad:

—Cada vez que se siembra el maíz se le pide permiso al viento; cada vez que cae la lluvia se le agradece al viento; cada vez que una semilla vuela, la vida encuentra camino por el viento. Cuando tú me dices esas cosas, cuando me agredes, insultas al maíz, a la lluvia, a las semillas que vuelan.

Y el viento fuerte continuó:

—Cuando el viento lleva un granito de tierra
a tus ojos, tienes que caminar más despacio y
recordarme; tienes que ser paciente y cuidadosa.
El viento fuerte es una energía para recordar que a
veces tenemos que caminar lento.

La niña se tranquilizó y esperó sin frotarse los ojos.
Dejó de llorar y pronto pudo ver de nuevo y bajar
del árbol.

Aquella niña es una de nuestras abuelas. Dicen
que a partir de ese día inventó un nuevo juego:
cierra los ojos con un diente de león frente a su
rostro y deja que el viento le sople suavecito,
llenándole la cara de semillas voladoras que,
ahora de vieja, algunos confunden con sus canas.

LOS SECRETOS
DE LAS PUERTAS
DE LAS CASAS

A veces uno puede cerrar los ojos y recordar cada detalle de la puerta de la casa. La textura, el color, un corazón dibujado y hasta palabras que a veces les pintan. Las puertas de las casas son únicas, son el rostro del hogar.

Puertas antiguas, de madera, de metal; con gradas, con techos, puertas con adornos, con hoyos por donde a veces miramos. Puertas con mañas para abrirse.

Nos gusta pararnos en la puerta de la casa. Vemos al vecino sentado en las graditas o caminando frente a nuestra puerta. En el umbral de la casa saludamos al mundo, tomamos el sol, jugamos.

Dicen los abuelos que todas las puertas de las
casas tienen espíritus que las cuidan a distintas
horas del día.

Cuentan que por la mañana, mientras el sol está calentando, hay una energía que está pendiente de la puerta, de las entradas y las salidas.

Es un espíritu que se encarga de que la puerta se abra bien,
que no se quede trabada, pero sobre todo, es el guardián
que cuida que se cierre bien cuando salimos de casa.

Toda la mañana está atenta de nosotros esta energía, nos resguarda a nosotros y a la casa. Es un espíritu bastante sensible y educado. Por eso, cuando salimos corriendo sin despedirnos, a veces se nos cierra la puerta o dejamos las llaves dentro; es para que no nos olvidemos de la casa.

Hay otra energía que está en la puerta de la casa al mediodía, a la hora del almuerzo. Dicen los abuelos que no hay que sentarse en la puerta a esa hora, porque es tiempo de comer y de descansar un poco de la jornada de la mañana.

Y por eso, dicen que si uno se sienta en la puerta a la hora del almuerzo nunca se llena, se queda uno con hambre.

El mediodía también es una buena hora para agradecer. Dicen los abuelos que hay que regar un poquito de agua en la puerta y agradecer a la casa y a las energías por tener un techo donde resguardarnos y compartir los alimentos, agradecerle a la casa con un gesto, como si le diéramos un pequeño beso.

Algunas horas después del almuerzo es cuando más nos sentamos en la puerta. A la tarde, cuando terminamos las tareas del día, jugamos frente a las casas, saludamos a nuestros amigos, nos relajamos. Y es cuando los abuelos se sientan con nosotros, cuando nos cuentan historias de su infancia, cuando nos cuentan cómo eran cuando niños.

Dicen los abuelos que al final de la tarde, la puerta la cuida la energía de la amistad, la energía de la familia, el espíritu que nos reúne en la puerta y que se encarga de que el viento no la cierre. Porque al final de la tarde, todas las puertas siempre están esperando a alguien: regresan nuestros padres, regresan nuestros hermanos, regresa la familia a casa.

Y en la noche la puerta se mantiene cerrada. Durante la hora de cenar, alguien sale a comprar algo, muy raras veces alguien toca en la noche. Pero hay también un espíritu que nos cuida a esa hora, uno que cuida que la puerta quede cerrada, que se asegura de que durmamos bien hasta que la energía de la mañana vuelva a tocar a nuestra puerta.

AMANUENSE®

Publicado por:
Grupo Amanuense, S.A.
Mixco, Guatemala.
editorial@grupo-amanuense.com
www.grupo-amanuense.com

ISBN: 978-9929-633-21-6

Primera edición 2014

© 2014 Grupo Amanuense, S.A.

Desde el mundo de los espíritus
Adaptación: © 2014 Julio Serrano Echeverría
Ilustraciones: © 2014 Marielle Che-Novak
Impreso en Guatemala, Centroamérica.